LES PREMIERS
DE LOUISA

Castor Poche
Collection animée par
François Faucher, Hélène Wadowski,
Martine Lang et Cécile Fourquier

Titre original :

LITTLE SWAN

BOOK 1 : LITTLE SWAN

First published in the United States by Random House, Inc.
(New York).
Based on the short story « Little Swan »
by Adèle Geras, which was published by Prima Ballerina :
A Book of Ballet Stories edited by Miriam Hodgson,
Methuen Children's Books (London), 1992.
Copyright © Adèle Geras, 1995
Copyright © text Adèle Geras, 1995.

Une production de l'Atelier du Père Castor

© 2001, Castor Poche Flammarion
pour le texte et l'illustration.

ADÈLE GERAS

LES PREMIERS CHAUSSONS DE LOUISA

*Traduit de l'anglais (Grande-Bretagne)
par Rose-Marie Vassallo*

Illustrations intérieures de
PHILIPPE DIEMUNSCH

Castor Poche Flammarion

Chapitre 1

Je m'appelle Emma Blair, j'ai presque onze ans. Ma petite sœur Ouisa en aura bientôt huit. En vrai, elle s'appelle Louisa, mais tout le monde l'appelle Ouisa, comme elle disait quand elle était petite.

Cette année, un mois après la rentrée, Ouisa s'est mis une idée en tête. Et, quand Ouisa a une idée en tête, tout le monde est au courant ! Elle vous en rebat les oreilles.

Voilà : elle voulait faire de la danse. Elle n'avait plus que cette idée. Elle en parlait jour et nuit. Elle en parlait à tous les repas. Chaque fois avec une bonne raison de plus.

— J'ai déjà au moins trois amies qui vont au cours de danse. (Première bonne raison.)

— En plus, c'est pas cher du tout. (Deuxième bonne raison.)

— Et c'est à Saint-Alban, tout près d'ici. Je pourrais même y aller à pied toute seule. (Troisième bonne raison.)

Là, Maman n'était pas d'accord :

— Toute seule ? Avec deux avenues à traverser ? Pas question ! Tête en l'air comme tu l'es...

— Mais Emma m'emmènerait. Hein que tu m'emmènerais, Emma ?

Vous auriez vu ce grand beau sourire ! Bon, j'ai dit oui. D'abord, ça ne m'ennuyait pas. Mais surtout, avec Ouisa, il vaut toujours mieux dire oui. Sinon, elle peut faire la tête pendant des jours. Une fois, elle jouait au roi et à la reine avec ses amies Marianne et Tricia. Ouisa voulait être la reine, les autres voulaient qu'elle soit la princesse. Ouisa était furieuse. Elle ronchonnait : « Elles exagèrent ! La princesse, c'était déjà moi la dernière fois. » Pendant trois jours, elle a fait la tête, et pour finir Marianne a déclaré que ça lui était bien égal d'être la princesse, et qu'Ouisa pouvait être la reine cinq fois de suite, si elle y tenait tant que ça.

Pour ces cours de danse, Maman a dû se dire que jamais Ouisa ne renoncerait. Un

matin, au petit déjeuner, elle a fini par sou-
pirer :

— Bon, bon. On ira t'inscrire. Il va falloir
acheter tout le tralala, j'imagine.

— J'ai la liste ! a triomphé Ouisa avec son
grand beau sourire. Je vais la chercher.

— Finis d'abord de manger, a voulu l'arrêter Maman.

Trop tard ! Ouisa avait déjà filé, elle fonçait dans les escaliers. C'est moi qui ai terminé sa tartine. Je savais qu'elle n'y touche-
rait plus, de toute façon.

Son rêve allait se réaliser. Et moi, je n'arrivais pas à y croire : ma chipie de petite sœur,
en tutu !

**

Quand le fameux tralala a été rassemblé,
quel délire !

— Regarde, Emma ! m'a dit Ouisa, après
avoir tout étalé sur le lit. Regarde comme c'est
super.

Il y avait là deux collants roses, deux paires
de petits chaussons roses, un cardigan blanc
et une mallette rose, du plus beau rose bonbon. Le couvercle de la mallette s'ornait

d'un petit dessin, une silhouette de ballerine peinte en or.

J'ai dit :

— Oui, c'est très joli.

C'était vraiment pour lui faire plaisir. En vérité, rien de tout ça ne me faisait ni chaud ni froid. Moi, franchement, la danse... Je préfère dessiner ou écrire des histoires ! Mais Ouisa était tout excitée. Et elle tenait absolument à me faire partager sa ferveur.

— Tu as vu les chaussons, Emma ? C'est du vrai cuir, hein, tu sais. Touche comme c'est doux. Bon, d'accord : avec, on ne peut pas faire de pointes. Mais les pointes, de toute façon, on n'a pas le droit d'en faire. Pas avant douze ans, défendu. Et tu as vu les rubans ? C'est du satin. Il faut faire bien attention, pour les nouer ; ça ne se fait pas n'importe comment. Je te montrerai. Et aussi, j'aurai mes cheveux relevés en l'air, en petit chignon dans un filet. Tu as vu mon filet, Emma ?

— Euh, non.

— Regarde, il est là. Et ça, c'est mon cache-cœur. On le croise par-devant et, après, on l'attache par-derrière. Regarde, comme ça.

Elle s'est mise à sauter sur place. Elle me faisait tourner la tête. J'ai répété :

— C'est très joli. Mais… pourquoi tout étaler sur ton lit?

— Parce que je prépare ma mallette. Elle est jolie, tu trouves pas? Tu as vu la danseuse sur le couvercle? Tu crois que c'est une danseuse étoile? Je serai exactement comme ça, quand je serai grande.

— Pas dorée de la tête aux pieds, j'espère!

Alors, Ouisa a pris sa brosse à cheveux et me l'a jetée dans les jambes. Bien visé – sauf que j'avais vu venir le coup! Raté!

Quelquefois, à mon avis, Ouisa manque un peu d'humour.

***

Et le grand jour a fini par arriver. Au cas où nous l'aurions oublié, Ouisa nous l'a rappelé dès le petit déjeuner.

— C'est aujourd'hui que je vais à la danse!

Et elle a engouffré une grosse cuillerée de muesli sec. Dans son excitation, elle avait oublié de mettre le lait.

Je lui ai passé la bouteille et je lui ai rappelé:

— Hé! du calme, c'est à quatre heures que je t'emmène. Après l'école. Et j'ai vu ta mallette rose qui traînait déjà devant la porte!

— Oui, je l'ai mise là hier soir. J'avais peur d'oublier, ce matin.

— Tu as bien tout pris ? s'est assurée Maman.

— Tout tout tout. J'ai relu ma liste.

Sacrée liste ! Peut-être qu'à présent, avec le début des cours, Ouisa allait enfin renoncer à l'afficher dans notre chambre ? Elle l'avait collée au beau milieu du miroir de la coiffeuse ; plus moyen de se voir autrement qu'avec un seul œil ! Moi, au bout de deux jours, je la connaissais par cœur, sa liste.

collant
chaussons
cache-cœur
filet à cheveux
épingles à cheveux
peigne et brosse
talc

Tout était maintenant bien rangé dans la mallette rose.

— Et sois pas en retard pour sortir de l'école hein, Emma ! m'a dit Ouisa d'un ton ferme. Tu m'emmènes à Saint-Alban, n'oublie pas. Il faut qu'on s'en aille de la maison à quatre heures pile.

— T'en fais pas. Je serai à l'heure. Promis.

J'étais à l'heure, pas de problème. Ça n'a pas empêché Ouisa de me faire avaler le lait de mon goûter en un temps record. Elle avait changé d'avis : pour plus de sûreté, elle voulait qu'on parte à quatre heures moins dix.

— C'est idiot, j'ai protesté. On va arriver avec trois quarts d'heure d'avance. Sans compter que j'ai bien l'intention de manger mon pain au lait.

— Mais on pourrait être ralenties par quelque chose, tu comprends ! Un embouteillage au carrefour. Un accident. Des travaux. On pourrait être obligées de faire un grand détour, et ça nous prendrait un temps fou.

Ce qui est fou, c'est l'imagination de ma petite sœur.

J'ai avalé mon lait à la diable et j'ai pris mon pain au lait pour le manger en chemin.

Il valait mieux nous mettre en route, sinon Ouisa était bien capable de se rendre malade... ou de partir toute seule !

***

Au cours Saint-Alban, en première année, il y a vingt filles et cinq garçons. La prof s'appelle miss Matting. C'est une grande dame toute mince, toute pâle, avec un chignon blond en boule, perché bien haut sur sa tête. Un miroir géant tapisse tout un mur de la salle. Les élèves s'alignent le long de la barre devant ce miroir pour leurs exercices.

Moi, je me suis assise sur un banc pour regarder.

Ouisa s'est glissée comme une crevette entre deux de ses copines d'école. Je ne m'étais jamais rendu compte qu'elle en savait déjà si long sur la danse. Elle connaissait d'avance les cinq positions des pieds, plus deux ou trois exercices de base. Mais rien d'étonnant, au fond : plusieurs fois, j'avais vu Marianne et Tricia lui donner des leçons, dans la cour de récré. Par-dessus le marché, pour ses sept ans, Maman lui a offert un gros livre sur la danse et, depuis, Ouisa est toujours plongée dedans.

Miss Matting l'a appelée devant elle pour lui apprendre à faire la révérence.

— Bien ! Très bien, l'a félicitée miss Matting dès son premier essai. Tu es naturellement gracieuse. La danse devrait te convenir.

Ouisa en a rosi de plaisir. Elle s'est tournée vers moi pour vérifier que j'avais entendu. Marianne et Tricia avaient l'air très fières. La révérence avait dû faire partie de leurs leçons dans la cour de récré, je parie.

J'ai entendu une fille chuchoter à une autre :

— Elle a déjà pris des cours ailleurs, c'est sûr.

Moi aussi, j'avoue, j'étais fière d'Ouisa.

Le cours a continué. Moi, j'inspectais la salle. Le plafond était haut, très haut, et une série de longues fenêtres étroites s'ouvrait dans le mur en face du miroir. Le plancher était ciré, ou peut-être vernis. Dans un angle, il y avait un piano et, assise au piano, une vieille dame un peu boulotte qui a gardé son chapeau tout le temps. En jouant, elle hochait la tête, et les cerises sur son chapeau dansaient en cadence avec la musique. Elle s'appelle Mrs Standish, d'après Ouisa.

À la fin du cours, miss Matting a dit :

— Les enfants ! Avant d'aller se rhabiller, on s'assoit par terre et on écoute bien. J'ai quelque chose d'important à vous dire. Voilà : il va falloir réfléchir à notre petit gala de Noël, et il est déjà grand temps d'y penser. Nous allons faire des choses très intéressantes, cette année. Je vais vous observer tous avec attention et, dans trois semaines, nous ferons des séances d'essais pour choisir les rôles. Bien évidemment, chacun aura son rôle dans le spectacle, mais il y aura une danse spéciale,

cette année. Et pour cette danse il me faudra quatre filles prêtes à beaucoup, beaucoup travailler. Nous ferons une sorte de petit concours. Je suis sûre que vous aurez toutes à cœur de faire de votre mieux.

Un petit concours ? J'ai jeté un coup d'œil sur Ouisa. Elle avait les yeux grands ouverts, et la bouche ouverte aussi. Les concours, elle adore ça ; elle adore tout ce qui est compétition – moi pas ! Elle était prête à tout, je le savais, pour faire partie de ces quatre-là !

Chapitre 2

En revenant du cours de danse, Ouisa était ivre de joie. À peine si ses pieds touchaient le trottoir. Elle balançait sa mallette à bout de bras et n'arrêtait pas de répéter :

— Oh ! Emma, c'était super ! C'était super, dis, Emma ? Et on va faire un gala ! Un vrai spectacle, avec des spectateurs ! Tu te rends compte ! Vivement la semaine prochaine ! Dépêche-toi un peu, s'il te plaît ! Il faut que je fasse mes exercices, moi, maintenant. Tu as entendu ce qu'a dit miss Matting.

Elle fonçait tant et si bien qu'elle a manqué d'emboutir une dame qui débouchait d'un portail. C'était Mme Posnansky, une vieille voisine à nous — une petite dame frêle et menue, avec un chignon gris, riquiqui. Elle s'appelle madame et pas Mrs, et elle s'habille avec beaucoup de noir, mais elle aime les jolis foulards, les cols de dentelle et les longs colliers.

Elle sortait de chez les voisins et Ouisa a bien failli la renverser.

Tout de suite, Ouisa s'est excusée:

— Oh! pardon, madame. Pardon, je vous ai fait peur, je ne l'ai pas fait exprès.

Mme Posnansky a souri.

— Tu n'es pas fille, tu es tourbillon.

Elle parle toujours un peu bizarrement, mais elle a une voix très douce.

— C'est parce que je reviens de mon cours de danse, lui a expliqué Ouisa d'un trait. Ma première leçon. Si vous saviez, je suis tellement contente que j'ai envie de courir, de sauter! Je voudrais ne plus jamais m'arrêter!

— Aah, a soupiré Mme Posnansky. Danse. Ballet. Si beau! J'aime danse tellement! En Russie, bien sûr…

Mais Ouisa était déjà loin.

— Bonne soirée, Mme Posnansky! Faut qu'on se dépêche, nous, maintenant!

— Oui, bien sûr, a dit Mme Posnansky. Ta maman attend. Elle veut tout savoir première leçon. Je raconterai histoires de Russie autre jour.

Et elle a traversé la rue. Elle habite juste en face de chez nous. À la porte, elle s'est retournée pour nous faire un petit geste amical. Ouisa avait disparu dans l'entrée, mais moi j'ai répondu à Mme Posnansky.

Plus tard, j'ai dit à Ouisa :

— Tu ferais mieux d'écouter Mme Posnansky, tu sais. Elle est née en Russie. Des tas de danseuses et de danseurs célèbres viennent de Russie. Peut-être qu'elle en a rencontré.

— M'étonnerait, a dit Ouisa. En plus, on la connaît à peine. On n'est même pas allées chez elle une seule fois.

Et elle a filé à l'étage pour y faire ses exercices devant le miroir du palier. Moi, je rêvais à la maison de Mme Posnansky. J'adore voir comment c'est, chez les autres. Je me disais que Mme Posnansky avait sans doute des tas de choses intéressantes à montrer.

***

Quand je dis que c'est cette année qu'Ouisa a décidé de faire de la danse, ce n'est pas tout à fait vrai. C'est cette année qu'elle a pleur-niché pour prendre des leçons. En réalité, elle en rêvait depuis longtemps. Elle n'avait même pas cinq ans le jour où elle a décrété qu'elle voulait devenir danseuse.

Ce Noël-là, Papa et Maman nous avaient emmenées voir *Casse-Noisette*. J'avais un livre qui racontait l'histoire, et je l'avais lu à Ouisa au moins une centaine de fois. Elle le savait par cœur. Elle mourait d'envie de voir Clara, la petite fille dont le casse-noisette enchanté finit par se changer en prince. Il lui tardait de voir la danse des flocons de neige, la valse des fleurs, la fée Dragée.

Le matin du spectacle, Ouisa s'est réveillée avant le jour et ne m'a plus laissée en paix une seconde. Elle voulait mettre sa belle robe, et elle voulait la mettre tout de suite. Elle voulait que je lui fasse une natte et elle la voulait tout de suite.

Moi, j'avais sommeil, je voulais rester bien au chaud dans mon lit, alors j'ai pro-testé :

— Mais c'est seulement ce soir qu'on va voir *Casse-Noisette*! Ta natte, d'ici à ce soir, elle aura l'air d'un hérisson!

Ouisa a pris son air buté.

— Fait rien. Je la veux tout de suite.

Quand elle était petite, c'était son grand refrain : «Veux tout de suite !» Papa la taquinait tout le temps pour ça. Il l'appelait «Miss Veux-tout-de-suite».

Papa habitait encore avec nous, ce Noël-là. Maintenant, il habite ailleurs. Maman et lui sont divorcés.

— Emma, ma grande, m'a dit Papa un jour. J'ai quelque chose à te dire, et tu m'aideras à le faire comprendre à Ouisa, tu veux bien ? Maman et moi, nous avons décidé que nous serions plus heureux en vivant chacun de son côté, mais nous vous aimons toujours beaucoup beaucoup, toutes les deux, tu sais. Et je continuerai à vous voir. J'ai beau aller habiter ailleurs, je suis toujours votre papa. Je serai toujours votre papa. Tu le comprends, n'est-ce pas ?

— Oui, j'ai dit. Je comprends.

En vérité, je ne comprenais rien du tout, mais je voyais bien que Papa était triste. Je voulais qu'il soit plus heureux.

— Et tu m'aideras à l'expliquer à Ouisa ?

— Oui.

Mais ça n'a pas été facile de l'expliquer à Ouisa. Au début, elle a fait semblant de ne pas comprendre. Et puis, quand Papa est parti, elle a pleuré, pleuré, pleuré.

— Arrête de pleurer, je lui répétais. Papa nous aime toujours. Il nous aime beaucoup beaucoup.

Mais Ouisa se mettait en colère.

— Même pas vrai! Il nous aime pas. Pas assez. Il resterait à la maison, s'il nous aimait assez.

Et moi, je ne savais pas quoi répondre.

Pour finir, on s'est tous habitués. Papa habite loin, maintenant. On le voit en week-end quelquefois, et aussi pendant les vacances. Et on lui parle souvent au téléphone. Mais, bien sûr, rien n'est plus pareil depuis qu'il est parti. C'est normal.

Papa habitait encore avec nous le jour où nous sommes allés voir *Casse-Noisette*. C'était juste avant son départ. Après son départ, Ouisa s'est mise à me reparler sans arrêt de cette soirée. Elle me disait:

— Les rideaux, Emma. Tu te rappelles, les grands rideaux rouges?

— Oui, je lui disais. Grenat, ça s'appelle, ce rouge.

— Oh! dessine-moi la fée Dragée, s'il te plaît.

Je la dessinais de mon mieux.

C'est à ce moment-là qu'Ouisa s'est mise à tournoyer devant les miroirs. Elle arrondis-

sait les bras au-dessus de sa tête. Elle essayait de faire des pointes. Elle avait sorti le casse-noisette du tiroir de la cuisine et elle le baladait partout, emmailloté dans un mouchoir. Elle s'est mise à collectionner les photos de danseuses de ballet. Chaque fois que nous en trouvions, dans les journaux, les magazines, elle les découpait pour les coller dans un cahier. Et chaque fois qu'on annonçait un spectacle de ballet à la télé, elle s'installait devant le poste un quart d'heure au moins avant le début de l'émission.

Oui, le jour où elle a commencé à tarabuster Maman pour ces leçons de danse, il y avait déjà longtemps qu'Ouisa se voyait en danseuse étoile.

Chapitre 3

Les mardis suivants, j'ai emmené Ouisa à son cours de danse. Ça ne m'ennuyait pas du tout de regarder. La preuve : j'emportais toujours de quoi lire, et je ne lisais jamais !

À la maison, tous les jours, Ouisa s'exerçait sans relâche.

Sur le chemin de Saint-Alban, elle me disait :

— J'espère que miss Matting sera contente. J'ai fait tout ce qu'elle a dit de faire.

Je le savais. Je l'avais même vue avec ses amies, à la récré, se servir de la balustrade de la cour comme d'une barre d'exercices.

Marianne et Tricia venaient chez nous plusieurs fois par semaine. Elles commençaient par changer le séjour en studio de danse. Puis, à la table de la cuisine, elles discutaient de miss Matting et de sa fameuse «danse spéciale» pour le gala de fin d'année. Qu'est-ce que ça pouvait bien être, cette année?

— Ma grande sœur Julia était chez miss Matting, il y a trois ans, disait Marianne. Elles avaient fait la *Danse des joyeux matelots*. Elles avaient des jupes plissées bleu marine et des petits bérets à pompon.

— Peut-être qu'on va être des fleurs, cette fois, disait Tricia.

— Ou des flocons de neige? suggérait Ouisa.

— Ça se pourrait bien, approuvait Tricia. Elle n'arrête pas de nous dire qu'on doit être légères, légères.

— Normal, disait Ouisa. Vous avez déjà vu des hippopotames en tutu?

— Hippopotame, disait Tricia, c'est Marianne qui va l'être, si elle continue à se bourrer de biscuits.

Marianne rougissait.

— C'est seulement mon quatrième! En plus, ils sont tout petits.

— Bon, allez hop! Arrêtez, vous deux! (Ça, c'était Ouisa, bien sûr.) Dépêchez-vous de terminer, qu'on s'exerce encore un peu!

Le jour des fameux essais, Ouisa était muette comme un poisson. Sur le chemin de Saint-Alban, rien à faire, elle n'ouvrait pas la bouche. Elle ne balançait pas sa mallette rose. Elle marchait à côté de moi, toute sage.

Pour finir, je lui ai demandé :

— Qu'est-ce qui t'arrive ? Tu as mal quelque part ?

— Non. Mais je me sens toute... toute drôle.

— Ah ! c'est le trac.

Elle a eu un petit rire.

— Le crac ? C'est quoi ?

— Le *trac*. C'est quand on a un peu peur avant quelque chose d'important. Tu as un peu peur, c'est ça ?

— Non, a dit Ouisa, puis elle s'est ravisée. Si, peut-être un peu quand même. Tu comprends, si jamais...

Elle s'est tue. J'ai insisté :

— Si jamais quoi ?

Elle regardait ses pieds.

— Si jamais je ne suis pas choisie... Tu sais bien, pour la danse spéciale. Si Marianne et Tricia sont choisies et moi pas ?

— Et alors ? Tu danseras quand même ! Miss Matting a dit que tout le monde aurait un rôle.

— Oui, mais moi...

— En plus, tu viens juste de commencer! Si tu n'es pas dans la danse spéciale, tu te retrouveras dans le chœur, il n'y a pas de honte à ça!

Elle a relevé le nez.

— Dans le chœur! N'importe quoi! On dit le «corps de ballet», tu sais bien. Le chœur! Vraiment n'importe quoi!

Puis elle a refait silence. Ne pas être sélectionnée, pour elle, c'était la fin du monde.

***

Après deux ou trois exercices d'échauffement, miss Matting a dit à son groupe de s'asseoir par terre, et elle a fait un petit discours.

— Bien. Je vous vois tous aussi anxieux les uns que les autres, et je sais pourquoi: c'est à cause de notre séance d'essais. Tout le monde veut être choisi pour un grand rôle. Vous avez le trac et c'est bien normal. Mais laissez-moi vous dire une chose. Dans un ballet, ce qui compte, c'est l'ensemble, et pas seulement les premiers rôles. Le corps de ballet a autant d'importance – tout à fait autant – que la plus éblouissante des danseuses étoiles. Les vrais danseurs professionnels donnent toujours le meilleur d'eux-mêmes, quelle que soit leur place dans le ballet. Je vous demande de ne pas l'oublier. Et ils savent aussi, c'est très important, que quand on n'est pas sélectionné cette fois-ci, on le sera peut-être la prochaine fois. Voilà. Je suis contente de vous tous. Faites de votre mieux, c'est tout.

À la fin de ce petit discours, ils avaient tous retrouvé le sourire. Tous, sauf Ouisa. Rien de ce que je lui avais dit, rien de ce qu'avait dit miss Matting ne pouvait la faire changer d'avis : elle voulait être sélectionnée, un point c'est tout.

— Et maintenant, a dit miss Matting, je vais vous montrer la petite séquence à apprendre. Pas d'inquiétude, c'est très court.

Pendant un quart d'heure environ, tout le monde s'est exercé à courir, à sauter, à tournoyer comme l'avait montré miss Matting. Puis les essais ont commencé. Chaque élève reprenait la séquence en solo, devant tout le groupe. Assise sur une chaise, miss Matting observait, et elle griffonnait des choses sur son bloc-notes.

Puis miss Matting a appelé les filles – «Seulement les filles !» – et leur a demandé d'exécuter une série de pas, chacune à son tour, devant elle.

J'ai regardé attentivement. Je ne voyais pas grande différence entre ces demoiselles. Mais quand est venu le tour d'Ouisa, j'ai eu un de ces tracs, mes aïeux ! Je ne voulais même pas regarder. J'ai serré les paupières très fort en implorant le ciel : « S'il vous plaît, s'il vous plaît, faites qu'Ouisa réussisse. »

Quand j'ai rouvert les yeux, Ouisa s'était rassise, une autre fille dansait.

Il a fallu un temps fou pour terminer la séance.

— Un grand merci à tous ! a conclu miss Matting. À présent, je suis sûre que vous grillez d'envie de savoir qui fera quoi pour notre soirée de gala. Aussi, nous allons nous arrêter là. Courez vous rhabiller et, quand vous serez prêts, revenez ici vous asseoir sans bruit. Je vous dirai ce que nous danserons pour notre soirée de gala, et qui dansera notre danse spéciale.

D'ordinaire, Ouisa se change à une vitesse de limace. Mais ce jour-là elle est ressortie du vestiaire en deux minutes chrono. Elle s'est assise à côté de Marianne et Tricia. Elle regardait le plancher devant elle, les mains cris-

pées sur sa mallette rose. Miss Matting a frappé dans ses mains pour obtenir le silence, mais c'était par habitude. Le silence, elle l'avait déjà.

— Bien. La première chose que je voudrais dire, c'est que je suis fière de chacun de vous. Vous avez tous très bien dansé.

Silence de mort.

— Cette année, pour le gala, nous allons faire quelque chose qui va sûrement vous plaire. Nous allons danser sur la très belle musique du *Lac des cygnes*, de Tchaïkovski. Les garçons feront la danse du bonhomme de neige, et les filles le ballet des cygnes. Quant aux quatre filles que j'ai choisies, elles danseront une version de la Danse des petits cygnes chorégraphiée par mes soins.

Tous les regards étaient rivés sur miss Matting. Il y avait pas mal de bouches entrouvertes. Ouisa se mordillait les lèvres.

— Et maintenant, a dit miss Matting, voici donc nos quatre noms…

***

— Chantelle Anderson, Louisa Blair, Biba Davis et Lauren Gregory.

Ouisa a cligné des yeux. Une fraction de seconde, elle n'a pas reconnu son nom.

Puis elle s'est tournée vers Tricia.

— Louisa Blair... c'est moi! Oh, Tricia, j'aurais tant voulu que tu sois choisie, et Marianne aussi!

Mais miss Matting enchaînait:

— Naturellement, nos petits cygnes vont avoir besoin de doublures. Que ferions-nous si nos quatre cygnes, le matin de la représentation, se réveillaient avec la varicelle? Aussi Marianne Fellowes, Sharon Goodbody, Patricia Little et Elizabeth Reynolds apprendront-elles aussi les pas.

Et quatre heureuses de plus, quatre! Tricia, Marianne et Ouisa ont exécuté une petite danse de joie (qui ressemblait plutôt à une danse de guerre).

Sur le chemin du retour, Ouisa n'arrêtait pas de répéter:

— Je suis un petit cygne! Je suis un petit cygne! Oh, Emma, tu te rends compte? Je vais être dans la danse spéciale! Il me tarde de le dire à Maman!

Au dîner, ce soir-là, il n'a été question de rien d'autre.

— Ce que je suis contente que Marianne et Tricia soient des doublures! disait Ouisa. Comme ça, on va pouvoir s'exercer toutes les trois. Et tu sais quoi, Emma? La maman de

Tricia dit qu'elle pourra m'emmener au cours de danse, le mardi. Et me ramener, aussi. Elle passe devant la maison en voiture, de toute façon. T'auras plus besoin de m'accompagner. C'est super, hein ?

J'aurais dû être enchantée ; en fait, j'étais un peu déçue. Pour me faire enfiler un tutu, il faudrait me payer cher, mais j'aimais bien emmener Ouisa à son cours. J'aimais le vestiaire et ses odeurs de talc. J'aimais essayer de deviner, chaque fois, de quelle couleur allait être le collant de miss Matting. J'imaginais son placard plein à craquer de tenues différentes.

— Il faut que j'appelle Papa, a déclaré Ouisa. Pour lui dire que je suis un petit cygne.

— Que tu *vas* en être un, je lui ai rappelé. Il faut d'abord que tu apprennes les pas. Et aussi que tu n'aies pas la varicelle le jour du gala.

— Pourquoi j'aurais la varicelle le jour du gala ?

— La varicelle ou autre chose. Rappelle-toi ce qu'a dit miss Matting.

Bon, j'étais peut-être un peu jalouse. Ça m'arrive. Mais aussi, je trouvais Ouisa un brin trop sûre d'elle, tout de même. Il était temps de lui rappeler qu'on n'a pas toujours tout ce qu'on veut.

Elle m'a regardée d'un air sombre et elle a rectifié, sa cuillère en l'air :

— Bon. Je vais dire à Papa que j'ai été *choisie* pour être un petit cygne. Là. Ça te va ?

Après le repas, Ouisa a appelé Papa. Je n'ai entendu que la moitié de la conversation, le côté d'Ouisa.

À un moment donné, elle a pris son ton suppliant :

— D'accord, mais tu voudras bien essayer quand même, dis ? Je voudrais tellement, tellement que tu me voies en petit cygne ! Je vais te prendre un billet d'entrée. Comme ça, tu pourras... Oui, oui, je sais, mais... D'accord, mais promets que tu essaieras ! S'il te plaît. Au revoir, Papa.

Quand j'ai pris le téléphone à mon tour, Papa m'a annoncé d'emblée :

— Emma, écoute bien. Je ne pense pas pouvoir aller au gala de danse d'Ouisa. J'ai essayé de le lui expliquer, mais tu la connais. Quand elle a une idée en tête... Elle n'a rien voulu entendre. Veux-tu essayer de le lui faire comprendre, s'il te plaît ? Tout doucement, au fil des semaines qui viennent ? Essaie de la préparer, de lui mettre cette idée dans un coin de la tête. Le jour de son gala, j'aurai une journée très chargée. Il y a vraiment bien peu de chances que je puisse faire le voyage et arriver à temps.

— Bon, d'accord, je lui ai répondu, mais tu essaieras quand même, hein ? Moi je vais *essayer* de faire comprendre à Ouisa, mais toi tu essaieras de venir, dis ?

— Bien sûr que oui, Emma. Tu le sais. Mais je ne veux surtout pas lui faire une promesse en l'air pour la décevoir ensuite. Tu comprends ?

— Oui, Papa. Je ferai de mon mieux.

Une fois de plus, c'était à moi d'expliquer les choses à ma petite sœur. J'espérais seulement que ce n'était pas à moi qu'elle en voudrait, pour finir, si Papa ne venait pas.

Après ça, pendant des semaines, il y a eu des tonnes de répétitions. La maman de Tricia emmenait Ouisa aux cours ordinaires, et aussi aux répétitions spéciales pour les petits cygnes et leurs doublures. Mais Ouisa, apparemment, trouvait que ce n'était pas assez. Elle était petit cygne à la maison. Elle était petit cygne à l'école. Elle était petit cygne du matin au soir et dans son sommeil aussi, je pense.

Elle avait une cassette avec la musique du *Lac des cygnes*. Chaque fois que Marianne et Tricia venaient chez nous, Ouisa mettait cette cassette dans le lecteur et toutes trois tourbillonnaient à travers le séjour en pouffant comme des folles.

L'air de la Danse des petits cygnes commençait à me sortir par les oreilles.

***

Un samedi après-midi, Ouisa est rentrée, toute contente d'elle, et elle m'a dit :

— Tu sais ce que je viens de faire ?

— Non, mais je sens que je vais le savoir.

— Je viens d'aider Mme Posnansky à rapporter ses commissions chez elle.

Maman, qui fouillait dans un tiroir, s'est retournée.

— Oho ! ça m'étonne de toi, Ouisa. Qu'est-ce qui s'est donc passé ?

— Rien. Simplement, je regardais par la fenêtre de la chambre, et j'ai vu Mme Posnansky tourner au coin de la rue avec un grand sac lourd comme tout. Alors je suis allée l'aider à le porter.

— Pas sur des kilomètres, en tout cas, j'ai dit. Si tu l'as vue depuis la fenêtre, elle était presque chez elle.

Ouisa m'a décoché un regard noir et elle a

ouvert la bouche pour répliquer, mais Maman a dit très doucement :

— Un peu d'aide, si peu que ce soit, c'est toujours bon à prendre. Tu as bien fait, Ouisa. C'est gentil à toi.

Alors Ouisa m'a dit, avec un sourire vengeur :

— Tu aurais bien voulu être là, c'est tout. Et on a discuté, un peu, Mme Posnansky et moi. C'est quelqu'un de très intéressant. Et elle vient de Russie, en plus.

— Tu parles d'une nouvelle ! j'ai dit. On savait ça depuis des siècles.

— Oui, mais elle m'en a parlé, de la Russie. Elle m'a parlé des ballets russes, et d'une école de danse spéciale à Saint-Pétress…

— Saint-Pétersbourg, a soufflé Maman.

— Oui, et elle m'a demandé si j'aimais bien mon cours de danse. Je lui ai dit que j'allais être un petit cygne. Elle a été rudement impressionnée. Elle m'a dit : « Tu es vraie ballerine. Cela je vois très clair. »

— Tu es entrée chez elle ?

— Non, a reconnu Ouisa avec une pointe de regret. Elle m'a demandé d'entrer, mais je lui ai dit qu'il valait mieux pas, que Maman ne savait même pas que j'étais sortie de chez nous. Dis, Maman, si elle m'invite une autre fois, je pourrai y aller, chez elle, s'il te plaît?

— Bien sûr, a dit Maman. J'espère que tu auras encore l'occasion de lui rendre service.

Pendant deux ou trois jours, j'ai vu Ouisa guetter Mme Posnansky par la fenêtre. Mais elle ne l'a pas revue passer, et pour finir elle a renoncé.

Chapitre 4

Un matin, au petit déjeuner, il y avait une enveloppe à côté de l'assiette d'Ouisa.

— Chic, c'est de Papa. Sûrement, il dit quand il arrive.

Le gala avait lieu à la fin de la semaine. Trois billets d'entrée bleu clair attendaient le grand jour, comme des papillons, sur le pense-bête de la cuisine.

Tous les soirs je m'efforçais d'expliquer à Ouisa qu'il y avait très, très peu de chances pour que Papa puisse venir la voir en petit cygne.

Mais elle s'entêtait :

— Il va vouloir me voir danser, tu penses bien. Il ne voudra pas rater ça.

— Il te verra quand même, je lui rappelais.

Tu sais bien, miss Matting fait faire une vidéo de tout le spectacle. Elle nous prêtera la cassette pour quand Papa viendra. De cette façon, il te verra.

— Mais c'est pas pareil! C'est pas du tout comme de voir en vrai.

— Pas tout à fait, mais presque. Et ça vaut mieux que rien.

À présent, Ouisa tournait et retournait la lettre de Papa dans ses mains.

— Ouvre-la, lui a dit Maman, et dis-nous ce qu'il t'écrit.

Ouisa a ouvert la lettre. Elle l'a lue. Elle est devenue rose vif. Elle est devenue blanche. Elle a laissé échapper un petit cri, et elle est partie en trombe.

Maman a poussé un soupir :

— Pauvre chaton. Je le lui avais dit, pourtant, de ne pas se faire d'illusions.

— Moi aussi, je le lui ai dit et redit. Elle n'a jamais voulu m'écouter. Elle n'écoute que ce qu'elle veut entendre. Je vais lui parler. Que dit Papa au juste?

— Voyons… «Même si je ne suis pas là pour te voir, je sais que tu danseras très bien. Je penserai à toi très fort samedi. Quand je viendrai vous voir à Noël, tu me montreras la

vidéo. » Comment sait-il qu'il doit y avoir une vidéo ? s'est étonnée Maman.

— Ouisa le lui a dit, je pense. Quand elle lui a parlé, dimanche.

Ouisa était si excitée à l'idée de cette vidéo ! Elle aimait beaucoup l'idée de pouvoir se repasser le spectacle encore et encore et encore.

— Je vais aller la retrouver, a murmuré aman. Voir si je peux la consoler un peu…

— Non, laisse, j'ai dit. J'y vais. Je viens d'avoir une idée : je vais lui rappeler que maintenant on a un billet d'entrée en trop. À qui le donner ? Je vais lui dire de choisir d'accord ? Ça va lui changer les idées.

***

Ouisa avait pleuré si fort que ses larmes étaient déjà presque taries quand je suis allée la retrouver. Elle avait le visage rouge et bouffi.

— Hé ! je lui ai dit, retrouve vite ton sourire. On ne dirait plus du tout un petit cygne. On dirait un petit dindon !

Elle n'a pas pu se retenir de pouffer.

— Ça a les yeux rouges, un dindon ?

— Je crois. Avec du bleu, aussi. Plus rouges

que ceux d'un petit cygne, en tout cas. Va vite te passer de l'eau froide sur le bout du nez. Ensuite, on tâchera de décider à qui on va donner ce billet d'entrée en trop.

— Le billet? a dit Ouisa. Oh! mais je le sais. Je fonce à la salle de bains et, après, je te dirai à qui j'ai décidé de le donner.

À son retour, elle m'a demandé:

— Alors? Tu as deviné qui je vais inviter au gala?

— Mme Walsh.

C'est son institutrice.

— Non.

— Josie?

— Non.

— Ruth?

— Non.

— Je donne ma langue au chat.

Ouisa a triomphé, ravie:

— Mme Posnansky, voilà qui!

— Elle? Mais pourquoi? On la connaît de vue, sans plus. On lui dit bonjour-bonsoir, et un jour tu l'as aidée à porter ses provisions, mais ça s'arrête là. Tu ne crois pas qu'elle va trouver ça bizarre? Une petite voisine qu'elle connaît à peine, qui lui offre un billet d'entrée pour un gala de danse?

— Qu'elle connaît à peine? T'exagères! Elle

me connaît très bien, elle sait que je fais de la danse. Et en plus, elle est russe, a ajouté Ouisa comme si cela expliquait tout. Et elle a dit qu'elle aimait la danse. Elle l'a dit, rappelle-toi. La première fois qu'on lui a parlé. Juste après ma première leçon. Tu te souviens ?

Je me souvenais. Pauvre Mme Posnansky ! Ouisa l'avait presque renversée. Oui, elle avait dit qu'elle aimait la danse. Mais elle songeait sans doute aux vrais spectacles de ballet. Sûrement pas aux entrechats de petits rats débutants, en première année de cours de danse !

Bien sûr, il n'était pas question de dire tout ça à Ouisa. J'ai répondu, à la place :

— Et pourquoi pas ? Bonne idée. Il ne reste plus qu'à attendre que ton visage se dégonfle un peu, et tu pourras aller chez elle lui proposer ce billet.

— Mais pas toute seule, a dit Ouisa.

— Comment ça ?

— Il faut que tu viennes avec moi.

— Moi ? Mais pourquoi ?

— Parce que.

Sa lèvre inférieure tremblait un peu. Ses

yeux brillaient dangereusement, comme si elle allait se remettre à pleurer.

Alors j'ai dit, très vite :

— Bon d'accord, je viendrai avec toi.

De toute façon, ça ne me pesait pas. Comme je l'ai déjà dît, j'adore mettre le nez chez les autres. Et il y avait déjà quelque temps que je grillais de voir à quoi ça ressemblait, dans la maison d'en face.

***

Mme Posnansky a mis longtemps à venir nous ouvrir la porte.

— Elle ne marche pas très vite, m'a expliqué Ouisa. Quelquefois, même, elle a une canne pour s'aider à marcher. Elle me l'a dit.

Enfin, Mme Posnansky a ouvert. Elle nous a reconnues tout de suite :

— Aah ! petite ballerine et sa sœur ! Entrez, je vous prie.

Et elle est repartie à pas menus le long du couloir.

Ouisa et moi l'avons suivie jusqu'à une grande pièce. La maison était très sombre, le mobilier démodé. Nous nous sommes assises sur un grand canapé, Ouisa et moi.

En face de nous, il y avait un énorme meuble à vitrine, bourré de bibelots de haut en bas. Les doubles rideaux étaient en velours vert foncé. Sur les murs, il y avait des photos, avec des dames en robe longue et des messieurs à bonnet de fourrure. Il y avait aussi des dames avec des bébés sur les genoux, des bébés tout empaquetés dans de la dentelle.

— S'il vous plaît, a dit Mme Posnansky, nous allons prendre thé. Je vais chercher. Attendez, je vous prie.

Elle a apporté le thé sur un plateau d'argent. Dans le thé, il y avait des tranches de citron mais pas de lait. Et elle nous l'a servi dans de grands verres bordés d'or. Chaque verre avait son petit support d'argent, pour qu'on puisse le tenir sans se brûler. .

— Maintenant, a dit Mme Posnansky, je trouve chocolat.

Elle a farfouillé dans un autre meuble, au bois presque noir celui-là, avec des fleurs et des fruits sculptés. Pour finir, elle en a sorti une grande boîte plate et elle a dit :

— Est appelé «langues de chat». J'aimais langues de chat beaucoup quand petite fille.

Les chocolats étaient longs et minces, et bien alignés dans leur boîte, enveloppés de papier brun craquant.

— Merci, a dit Ouisa et elle en a pris un. Ils ont l'air délicieux…

Mais au lieu d'y planter les dents, elle a ajouté d'un trait :

— S'il vous plaît, madame, je sais que vous aimez la danse, alors est-ce que vous voudriez venir me voir danser, samedi soir ? Je serai un petit cygne dans la Danse des petits cygnes, je vous ai apporté un billet d'entrée…

— Billet d'entrée ? s'est écriée Mme Posnansky en joignant les mains. Pour voir danse ? Est merveilleux ! Si gentil penser à moi ! Oui, oui, venir avec grand plaisir ! Merci million de fois. Ma mère était danseuse. Je vais montrer. Venez.

Elle s'est levée et nous a indiqué une photo dans un cadre, accrochée bien haut sur le mur.

— Mère dans corps de ballet. À Paris. Dans *Giselle*.

— Wouah ! s'est extasiée Ouisa. Génial ! Une vraie danseuse de ballet ! Oh, que je suis contente que vous vouliez bien venir, Mme Posnansky !

— Venez un jour ici, vous deux, a dit Mme Posnansky, et je vous montre vieilles photos, toutes. Très intéressant.

Alors j'ai dit :

— Ce sera super, merci ! Mais maintenant, il faut qu'on s'en aille. Au fait, pour samedi, Maman dit qu'elle vous prendra en voiture pour vous emmener au gala, et elle vous ramènera aussi.

— Merci, merci, mes filles, a dit Mme Posnansky. Je suis grande impatience venir.

Elle nous a raccompagnées à la porte et nous a fait au revoir de la main, jusqu'à ce que nous soyons rentrées chez nous.

— Elle ne voulait pas dire « impatience », j'ai expliqué à Ouisa. Elle voulait dire « impatiente de venir ».

Ouisa s'est retournée, indignée.

— Ça va, j'avais compris ! Pas besoin de m'expliquer, va. Je comprends toujours très bien ce qu'elle veut dire.

Chapitre 5

La veille du gala, je commençais juste à m'endormir quand Ouisa m'a réveillée en me secouant comme un sac de farine.

— Emma... Je peux pas dormir. J'ai trop le trac.

— Recouche-toi. Tu vas t'endormir. Tous les danseurs dorment comme des bûches. C'est bien connu.

— Oh... C'est toi qui l'inventes.

— Pas du tout. C'est la vérité.

Ce n'était pas la vérité. Je l'inventais, oui. À l'instant.

Sur le moment, ça a paru marcher. Louisa s'est recouchée. Je l'ai même crue endormie. Mais cinq minutes plus tard, qu'est-ce que j'entends ?

— Emma... Oh, Emma, j'ai le trac. Tu te rends compte, si j'ai un trou de mémoire ? Ou si je fais un faux pas ? Ou si mon costume craque ? Ou si...

— Arrête un peu, tu veux ? Tu vas danser comme dans un rêve. J'en suis sûre. En plus, c'est normal d'avoir le trac. Quand on est trop calme, on ne fait pas de son mieux.

— C'est vrai ? a dit Ouisa d'une voix pâteuse.

Elle avait l'air tout ensommeillée, soudain.

— Bien sûr que c'est vrai. Tous les danseurs ont le trac, avant une représentation.

— Ah bon, a marmonné Ouisa.

En fait, je crois qu'elle dormait déjà. Alors j'ai ajouté, pas trop fort :

— Tous les danseurs ont le trac, et toutes les grandes sœurs sont sur les dents.

Ouisa ronflait presque, mais moi j'étais bien réveillée.

Je crois que je me suis endormie en comptant des cygnes.

***

Le jour du gala, Ouisa ne tenait pas en place. Elle voulait absolument arriver à la salle des fêtes la première.

Deux heures au moins avant le spectacle, elle a commencé à me seriner :

— Tu devrais m'emmener maintenant, Emma. Tu pourras m'aider à me préparer.

Pour finir, Maman a dit :

— Oh, emmène-la donc, Emma. Sinon, elle va nous rendre folles.

— Tu seras bien à l'heure, dis, Maman ? a supplié Ouisa en empoignant sa mallette. C'est les premiers arrivés qui ont les meilleures places. Tu préviendras bien Mme Posnansky pour qu'elle soit prête à temps, dis ?

— Ne t'inquiète pas, chaton, a promis Maman. Va vite avec Emma. Je m'occuperai bien toute seule de nos places et de Mme Posnansky.

Le trac d'Ouisa était pire, je crois, que ce que j'avais imaginé. Sur le chemin de la salle des fêtes, elle n'a pas ouvert la bouche une seule fois. Elle serrait sa mallette sur son cœur et marchait en regardant ses pieds.

La salle des fêtes où avait lieu le gala est celle du collège où j'irai l'an prochain. C'est là que miss Matting donne son gala de danse chaque année. C'est une vraie salle de spectacle, avec une vraie scène et des projecteurs. Les rideaux sont en velours bleu nuit, et il y a deux vestiaires (Ouisa dit des loges) pour se costumer et se maquiller, un pour les filles, l'autre pour les garçons.

— Oh, regarde! s'est enthousiasmée Ouisa en entrant dans le vestiaire des filles. Tu as vu, un peu, toutes ces ampoules autour des miroirs? C'est comme dans les vraies loges de théâtre, dis?

— Absolument. Trouve-toi un coin tranquille pour poser tes affaires, et je vais t'aider à te maquiller. Ton costume est sur un de ces cintres, j'imagine?

— Touche pas aux costumes! a hurlé Ouisa. Surtout pas! miss Matting a interdit d'y toucher avant qu'elle arrive!

— Je n'y touchais pas, je regardais seulement. C'est ça, les cygnes, là? Cette espèce de mousseline blanche?

— Oui, tout ça blanc, c'est les cygnes. Le reste, c'est pour les deuxième et troisième années. Il doit y avoir des clowns, et des fleurs, et aussi des oiseaux bleus, je crois.

— Hou là! Et vous allez être combien de filles à vous changer ici?

— En tout? Environ cinquante. Mais on ne va pas se changer toutes en même temps! C'est nous les premières. Quand on aura fini, ce sera le tour des deuxième année. Elles attendront dans une salle de classe, je crois, jusqu'à ce que miss Matting leur dise de venir se préparer.

Ouisa a ouvert sa mallette rose. Elle a aligné devant elle son maquillage, son peigne et sa brosse. Puis elle s'est regardée dans le miroir.

— J'ai l'air fatiguée, dis, Emma? J'ai mal dormi, tu sais.

— Fais voir? Bof, il faut le savoir. Assieds-toi, je vais te coiffer, ce sera toujours ça de fait.

Ouisa avait suivi en tout point les instructions de miss Matting: des vêtements faciles à enfiler, et rien à passer par-dessus la tête.

J'étais chargée de lui faire une grosse tresse et de l'enrouler en chignon. Chaque cygne avait son «diadème», une sorte de bandeau blanc à poser sur les cheveux.

— Aplatis bien mes cheveux, m'a recommandé Ouisa. Et mets plein, plein d'épingles pour faire tenir mon chignon.

— Ça oui, je l'ai taquinée. Tu imagines, un peu, s'il dégringolait pendant que tu es sur scène?

J'ai vu ma petite sœur pâlir.

— Pas de panique, je l'ai rassurée. C'était

pour rire. Je vais te souder cette tresse sur le crâne, tu vas voir, pas de danger qu'elle bouge!

Puis les autres cygnes sont arrivés. J'étais juste en train de parer Ouisa d'un peu d'ombre à paupières vert pâle.

Tenir les yeux baissés n'a pas empêché sa langue d'aller bon train.

— Salut, Tricia. Salut, Marianne. Ça va? Pas trop le trac? Moi, j'ai un trac fou. À peine si j'ai fermé l'œil de la nuit. Vous avez dormi, vous?

— Moi ça va, a dit Marianne, mais c'est pour manger! Beuh, depuis ce matin, pas moyen d'avaler quoi que ce soit. Mal au cœur, envie de rien. Même en ce moment, tiens, j'ai encore un peu le cœur qui se soulève.

— Moi aussi, a dit Ouisa. Et trop chaud. Et trop froid.

Je lui ai fait remarquer:

— Trop chaud et trop froid à la fois? Il faudra que tu m'expliques comment!

— Facile, a soutenu Ouisa. J'ai chaud aux joues et froid aux pieds. Là! tu vois? Et j'ai la tête vide, aussi. Je crois que j'ai oublié comment on danse.

— Bonjour, mesdemoiselles! a lancé miss Matting en entrant. Déjà sur le pied de guerre, à ce que je vois. Parfait. Essayez de garder

vos petites affaires bien en ordre, d'accord ? Vous ne voudriez pas rentrer à la maison avec la brosse de l'une et le maquillage d'une autre. Bon, et n'oubliez pas : beaucoup de poudre claire, et des lèvres roses. J'espère que personne n'a apporté de rouge à lèvres foncé.

Personne ? Bien sûr que si ! Elizabeth.

— Oh ! c'est beaucoup trop sombre, ça, mon petit. Pour une fois, on va faire une exception : on va emprunter le rouge de quelqu'un d'autre. Tiens, celui d'Ouisa – tu veux bien, Ouisa ? Il est juste de la bonne teinte.

Ouisa n'était pas peu fière.

— Est-ce qu'on peut mettre nos costumes, maintenant, miss Matting ?

— Encore un peu de patience, jeunes filles. Pour le moment, ils sont encore tout beaux, tout bien empesés. Le tulle va se froisser si vous restez assises dessus pendant des heures. Et maintenant, soyez sages, il faut que j'aille voir les garçons.

Les garçons se préparaient pour leur danse de bonshommes de neige.

— Voir les garçons ! a grogné Sharon. Comme si c'était la peine ! Ils n'ont même pas le trac ni rien.

— Si ça se trouve, a dit Tricia, ils l'ont

autant que nous, tu sais. Sauf que, pour que ça se voie pas, ils font les singes à la place.

— En plus, c'est débile, de faire les singes : au moment de danser, ils seront crevés, voilà ce qu'ils auront gagné ! a prédit Lauren.

Chantelle s'est mise à rire.

— Eux, crevés ? Ils sont tout le temps en train de faire les singes. Tu les as vus crevés souvent ?

Puis ces demoiselles se sont assises sur les bancs, et elles ont commencé à se raconter des histoires horribles.

— Un jour, les rubans de chausson d'une fille se sont défaits, elle s'est pris les pieds dedans, elle est tombée et elle s'est foulé la cheville.

— Attendez, j'ai entendu pire. Il y a une fille, un jour, elle avait été parfaite en répétition. Parfaite. Après ça, en entrant sur scène, elle a commencé à se tromper et elle a tout fait de travers !

— Arrêtez ! je leur ai dit. Vous allez vous rendre malades. Vous croyez que vous n'avez pas assez le trac comme ça ? À mon avis, vous feriez mieux de commencer à mettre vos costumes.

Ouisa a souri de toutes ses dents.

— Écoutez ça ! On dirait une vraie costu-
mière.

Elle venait d'enfiler son tutu quand on a
frappé à la porte.

— C'est qui ? a demandé Marianne. Défense
d'entrer ici avant le spectacle !

Toc-toc-toc !

C'était insistant, cette fois.

J'ai bondi à la porte et j'ai lancé :

— Entrez !

Une grande fille rousse à casque de motard
a entrouvert la porte. Elle tenait une boîte
dans ses bras, une énorme boîte en carton
blanc à rayures roses.

— Miss Ouisa Blair est-elle ici, s'il vous
plaît ? On m'a dit de frapper à cette porte. J'ai
une livraison pour miss Ouisa Blair, de la
pâtisserie *Au Bec Fin*.

Ouisa n'a fait qu'un saut.

— Ouisa Blair ? C'est moi.

— En ce cas, je pense que ceci est pour toi.

Chapitre 6

— C'est quoi? C'est quoi? voulait savoir Tricia.

— Qui t'envoie ça? demandait Chantelle.

— Où est-ce que je le dépose? s'est informée la fille au casque.

— Mettez-le sur la table, là, a répondu Ouisa, tout intimidée soudain. À ton avis, Emma, c'est quoi? Qui m'envoie ça?

— Ouvre, tu verras bien.

La livreuse a déposé la boîte sur la table et elle a filé à toute allure, juste à temps pour échapper à la nuée de petits rats curieux.

Une enveloppe dorée était scotchée sur le couvercle.

— Je vais commencer par lire le message, a décidé Ouisa.

Tout le monde a fait silence.

— C'est de Papa, nous a annoncé Ouisa au bout d'un moment. (Moi, je le savais déjà ; je l'avais vu à son sourire grandissant.) Il dit : « Tu vas danser comme une princesse, je le sais d'avance. Après le spectacle, partage ce gâteau avec tous les cygnes, petits et grands. N'oublie pas d'en donner aussi à Emma et à ta maman, et à quiconque sera de la fête. » Oh, Emma ! Papa a envoyé un gâteau ! Tu ouvres la boîte, s'il te plaît, qu'on voie à quoi il ressemble ?

Le gâteau était immense et tout rond. Les bords étincelaient d'un glaçage blanc. Un glaçage bleu clair ornait le dessus, joliment ridé de vaguelettes.

— Un lac ! s'est extasiée Ouisa. Regardez, c'est un lac, le lac des cygnes ! Avec les cygnes : quatre, cinq, six, sept, huit – huit cygnes ! Et les petits arbres autour de l'eau, vous avez vu ? Oh ! c'est le plus beau gâteau de ma vie. En quoi sont les cygnes, Emma ? Tu crois qu'ils se mangent ?

— Jamais de la vie ! Ils sont en plastique.

— Génial ! a glapi Ouisa.

Et, tandis que les autres admiraient le gâteau, elle m'a soufflé à l'oreille :

— Comme ça, je vais pouvoir en donner un

à toutes les filles de la Danse des petits cygnes, et même aux doublures. Une chance qu'ils en aient mis huit, dis, Emma?

— Sacré coup de chance, oui.

À cet instant, miss Matting est revenue dans la loge et elle a dit :

— C'est ton gâteau, Louisa?

— Oui. Il vient de mon papa.

— Il est magnifique. (Elle a jeté un regard à la ronde.) Bien, et maintenant, vous pouvez vous hab... Ah! tout le monde est prêt? Oui, je vois ça. Parfait. Alors écoutez-moi toutes. Nous avons une invitée d'honneur et elle a des choses passionnantes à nous dire. La voici. Donc, on fait silence et on s'assoit sur les bancs, en faisant bien attention à ne pas froisser les costumes.

Une fraction de seconde, je me suis dit : Peut-être que c'est Papa. Peut-être qu'il a pu venir, finalement.

Mais ce n'était pas Papa. C'était même la dernière personne que je m'attendais à voir là!

— Mme Posnansky! a explosé Ouisa en sautant sur ses pieds. Mais pourquoi... Je vous croyais avec Maman!

— Chut, Louisa, lui a dit miss Matting.

Rassieds-toi et écoute bien. Les enfants, je vous présente une amie et voisine de la famille Blair. Elle s'appelle Nina Posnansky, et elle a quelque chose de très intéressant à vous montrer, juste avant la danse.

Mme Posnansky. Je la reconnaissais à peine. Je l'avais toujours vue en noir, dans des habits un peu informes, mais elle s'était faite toute belle pour le gala de danse. Sa robe, entre violet et grenat, m'avait bien l'air d'être en soie. Le châle à ses épaules étincelait de paillettes. Elle souriait. Dans sa main fripée, elle tenait un sac en papier.

Elle nous a dit :

— Bonsoir, petites. Mon anglais mauvais, merci d'excuser. Je viens de Russie. Mère était danseuse de ballet autrefois, il y a beaucoup longtemps. Son nom Natacha Arloroskova. Avant ma naissance, elle danse à Paris. Elle danse *Lac des cygnes* dans corps de ballet. Cela, je dis déjà Emma et Ouisa

— Oui, s'est écriée Ouisa. Quelquefois, je vais chez Mme Posnansky pour regarder ses photos !

— J'apporte ici photo, a continué Mme Posnansky.

De son sac en papier, elle a sorti une vieille photo dans un cadre d'argent.

— Voici maman à moi. Dans Danse des petits cygnes. Deuxième à droite.

La photo a circulé de main en main. Quatre danseuses belles et fières posaient devant un décor peint : des arbres sombres et un lac baigné de lune. Leurs costumes étaient passés de mode, mais très beaux quand même.

— Rendez-vous compte! a dit miss Matting. Cette photo a été prise voilà plus de quatre-vingts ans, et voyez comme les danseuses ressemblent à nos petits cygnes à nous.

— Elles sont jolies, a dit Ouisa en s'avançant pour rendre sa photo à Mme Posnansky. Et votre maman est la plus belle des quatre.

— Attends minute, a répondu Mme Posnansky. J'ai pour toi chose très spéciale. Tu viens me voir chez moi, tu m'offres billet d'entrée. Moi, après, je réfléchis. Je réfléchis fort. Je me rappelle valise de Maman. Sous le lit. Je tire valise. Je pense, peut-être est encore là, surprise spéciale. Je cherche, je cherche. Beaucoup vieux habits, vieilles chaussures. Beaucoup bijoux et foulards. Et puis je trouve… (Elle plonge la main dans le sac en papier.) Diadème de ma mère. Diadème cygne.

Pour Ouisa. Je veux donner. Pour petit cygne nouveau.

Les yeux d'Ouisa se sont mis à briller.

— Oh, des plumes! Des vraies plumes! C'est ce diadème qu'elle porte sur la photo, votre maman?

— Même! a répondu Mme Posnansky. Absolument même.

Ouisa a interrogé des yeux miss Matting, puis Mme Posnansky.

— Et... je peux le porter pour la danse? Là, maintenant?

— Oui, pour danse, a dit Mme Posnansky. Mais après aussi. Tu gardes. Pour souvenir. Est porte-bonheur pour danse ballet. Viens. Je mets sur ta tête.

De nouveau, Ouisa a interrogé du regard miss Matting. Miss Matting souriait. Elle n'a pas dit non. Alors Ouisa s'est jetée contre Mme Posnansky, les bras grands ouverts, et elle a refermé les bras en serrant fort. Ce n'est pas le genre d'Ouisa, pourtant, même avec Maman ou Papa. Ouisa n'est pas très câline.

Et elle murmurait:

— C'est le plus beau cadeau du monde. Le plus beau cadeau possible.

Alors Mme Posnansky lui a placé le diadème sur la tête, avec l'aide de miss Matting.

Et tout le monde a applaudi. Ouisa est devenue toute rose et elle a souri.

— Eh bien! a dit miss Matting, voilà des
années que je monte ce petit gala de danse,
mais jamais encore je n'avais été aussi émue.
Merci mille fois, Mme Posnansky.

— Oui, oui, merci, merci! ont crié les autres.

Et Mme Posnansky, à la porte, a conclu en
sortant :

— Je vous souhaite superbe danse. Tous,
toutes!

Alors, j'ai dit à Ouisa :

— Hé! moi aussi, faut que je file! Sinon
on ne me laissera pas entrer dans la salle.
Danse bien, toi, l'affreuse. Je t'aurai à l'œil!
En tout cas, à te voir, on dirait une vraie
ballerine!

Elle a lancé un pied en avant et arrondi les
bras au-dessus de sa tête.

— Oh! mais c'est comme ça que je me sens,
tu sais. Comme une vraie de vraie ballerine.

Chapitre 7

La salle était bondée. Tous les parents, tous les amis étaient venus voir le gala de danse.

Maman et Mme Posnansky avaient suivi le conseil d'Ouisa : elles étaient arrivées très en avance pour avoir des places au premier rang. Le châle de Mme Posnansky étincelait de ses mille paillettes. Quand je me suis glissée dans le fauteuil qu'elle et Maman m'avaient réservée entre elles deux, elles étaient plongées dans la lecture du programme.

J'ai dit à Mme Posnansky :

— Ouisa est rudement contente de votre cadeau, vous savez. Avant, elle avait un trac fou ; du coup, ça va un peu mieux. Elle dit qu'elle se sent comme une vraie danseuse.

— Oui, et maintenant, a dit Maman, c'est moi qui ai le trac pour elle. Elle est tellement exigeante envers elle-même ! Rendez-vous compte, si elle fait un faux pas ? Ce sera tout perdu !

— M'étonnerait d'elle, j'ai dit. Ça fait des semaines qu'elle connaît cette danse par cœur. Elle n'a plus que ça en tête. Elle en rêve la nuit.

— Chut ! a soufflé Mme Posnansky. Voilà commencement. Oui.

La salle s'est assombrie par degrés. La musique du *Lac des cygnes* s'est enroulée autour de nous, jaillie de tous côtés à la fois. Un liseré de lumière bleu pâle s'est coulé sous le rideau. Le rideau s'est ouvert en deux, et le spectacle a commencé.

Au fond de la scène, il y avait des arbres et des rochers, peints sur une grande toile. Tout le monde a applaudi. Puis les petites de première année ont fait leur entrée en cygnes. Elles étaient jolies. Elles ont bien dansé.

— Adorables, m'a chuchoté Maman.

J'allais lui répondre, mais j'ai reconnu les premières mesures de la danse d'Ouisa.

Les quatre petits cygnes se sont glissés sur le devant de la scène, leurs tutus de tulle blanc bouffant comme des plumes. Et la danse a commencé.

Je ne pouvais pas détacher mes yeux d'Ouisa. Elle flottait au gré de la musique, comme si elle pesait moins qu'un duvet. Elle s'inclinait, se tournait, on aurait cru un roseau. Sous son diadème venu de si loin, elle tenait la tête haute avec autant de grâce qu'un vrai cygne.

Je ne reconnaissais plus ma petite sœur. Je n'arrivais pas à croire que c'était la Ouisa de chez nous, têtue, bêcheuse et soupe au lait. Dans la lumière bleue de la scène, elle avait quelque chose de magique. J'aurais voulu la regarder danser pendant des heures et des heures.

Quand la musique s'est tue, j'ai jeté un coup d'œil à Mme Posnansky. Des larmes luisaient sur ses joues fripées. Elle a dû sentir mes yeux sur elle, car elle s'est tournée vers moi.

— Je pleure, parce que danse est si beau. Ta petite sœur est ballerine vraie.

— Oui, je lui ai dit. Oui, en vrai.

Le gala terminé, tout le monde s'est retrouvé au vestiaire, parents, amis, danseurs, danseuses. C'était comme une grande fête après la fête.

Miss Matting a découpé le gâteau de Papa en parts minuscules, pour que tout le monde puisse y goûter un peu. Ouisa avait prélevé les huit petits cygnes en plastique et elle les a distribués à ses amies. Les adultes n'arrêtaient pas d'embrasser les petits rats, et de leur dire que c'était merveilleux, que tout le monde avait superbement dansé.

Puis il a bien fallu rentrer. Ouisa a refermé sa mallette. Maman et Mme Posnansky étaient déjà sorties, elles nous attendaient dans la voiture, sur le parking. En quittant le vestiaire pour aller les rejoindre, j'ai dit à Ouisa :

— Oh ! tu as gardé ton diadème sur la tête.

— Je sais. Mais ma mallette est trop petite. Je ne voudrais pas l'écraser, tu comprends.

Alors, j'ai un peu hésité. J'avais envie de lui dire ce que je pensais, que j'avais aimé sa façon de danser. Mais je me sentais toute bête, je ne trouvais pas mes mots.

Je lui ai dit simplement :

— Tu as été le meilleur des petits cygnes. Peut-être à cause de ce diadème russe… Peut-être…. Tu avais l'air d'une vraie ballerine, ce soir, Ouisa.

— LOUIsa, tu veux dire, a rectifié Ouisa. À partir de maintenant, je crois, il vaudrait mieux m'appeler Louisa. Ouisa, ça fait un peu bébé pour une danseuse de ballet, tu trouves pas?

— D'accord, j'ai dit. À partir de maintenant, ce sera Louisa.

***

On était à peine à la maison que le téléphone a sonné. C'est moi qui suis allée décrocher.

J'ai écouté mon correspondant, puis j'ai lancé bien fort :

— C'est un monsieur qui voudrait parler à une certaine Ouisa.

Et j'ai tendu le téléphone à ma sœur.

— Allô, Papa, c'est toi? a dit Ouisa de sa petite voix claire. Ici, Louisa à l'appareil.

Adèle Geras

Née à Jérusalem en 1944, l'auteur a connu une enfance cosmopolite et grandi un peu aux quatre coins du monde, notamment à Bornéo et en Gambie. Après des études de français et d'espagnol au collège St. Hilda d'Oxford, elle a été chanteuse, actrice et professeur de français dans un collège de jeunes filles. Elle vit avec son mari à Manchester depuis 1967 et se consacre entièrement à l'écriture. Elle a publié son premier livre en 1976, et en a écrit à ce jour près de soixante-dix. Ses deux filles adultes, Sophie et Jenny, ont elles aussi opté pour les lettres, l'une comme romancière et poète, l'autre dans un périodique londonien.

Du même auteur, en Castor Poche:
Les dossiers de la famille Fantora, n°595;
L'album photos des Fantora, n°602;
La revanche de Mimosa, n°714;
Signé: Fouji, n°715;
Popeline a disparu, n°716;
Nabab le héros, n°717.

Rose-Marie Vassallo

La traductrice : « Qui dit que chaussons de danse et tutus riment forcément avec rose bonbon ? Avec Adèle Geras, pas de danger ! Elle a trop d'humour, mais surtout elle connaît trop bien la danse. Et l'apprentie ballerine de ces quatre petits récits, passionnée, à l'emporte-pièce, n'a rien d'une miniature de fée Dragée. Pas plus qu'il n'est question de nous faire croire qu'il suffit d'un don inné et d'une poignée de leçons pour faire une future étoile. Louisa s'exerce d'arrache-pied, elle travaille avec feu, elle ne respire que pour la danse... Et tant pis si elle en est parfois exaspérante dans ses outrances, côté chagrins comme côté joies ! Son enthousiasme contagieux a de quoi gagner le cœur non seulement des « petits rats » (en vrai ou en rêve), mais aussi de ceux qui, comme moi, n'ont jamais enfilé de chaussons de danse que pour la fête de l'école.

De la graine de passion, de ces passions qui font toute une vie – qui font toute la vie. »

Philippe Diemunsch

L'illustrateur est né en 1953 à Paris. «À l'école je faisais des caricatures de mes professeurs et je dessinais des voitures dans les marges des cahiers. Plus tard je suis naturellement devenu illustrateur ; ma femme l'étant aussi, nous avons longtemps travaillé à «quatre mains». J'aime changer de style et je travaille dans des domaines aussi différents que la publicité, la BD, les expositions de la Villette ou la presse et l'édition.»

Retrouvez Louisa dans :

Extrait de
LE SECRET DE LOUISA

Chapitre 1

Ah! les grandes sœurs, quelle invention!
Bon, d'accord, quelquefois, on est bien
content d'en avoir; je dirais même assez
souvent. Mais quelquefois aussi, quel fléau!
On leur enverrait bien des coups de pied
– sauf que moi, les coups de pied, il vaut mieux
que je me retienne d'en donner. Je risquerais
de m'abîmer les orteils. C'est ma prof de danse
qui le dit. Et je dois y faire très attention,
parce que je veux être danseuse de ballet,
plus tard.

Il y a déjà trois mois que je vais en classe
de danse. J'ai même dansé sur scène, l'autre
jour, donc je suis un peu ballerine. En tout
cas, c'est ce que dit Mme Posnansky, notre
voisine d'en face. Elle m'appelle toujours

«petit cygne», parce que c'est ce que j'étais, pour le gala de Noël. Mme Posnansky vient de Russie, et sa mère était dans un corps de ballet, il y a très très très longtemps, donc elle s'y connaît. Pour la Danse des petits cygnes, elle m'a offert le diadème de plumes de sa mère, elle me l'a donné pour de bon. Je l'ai mis dans une boîte, au bas de mon placard ; c'est mon plus beau trésor.

En tout cas, des coups de pied, c'est souvent que je me retiens d'en donner à ma sœur Emma. Elle a dix ans et demi (deux ans et sept mois de plus que moi), et elle n'arrête pas de m'appeler Ouisa. En plus, elle le fait exprès. Parce qu'elle sait que ça m'agace. Je lui ai dit au moins cent fois que je ne voulais plus qu'on m'appelle comme ça.

— LOUIsa. Je m'appelle Louisa. Louisa Blair. Ça sonne bien pour une danseuse, je trouve.

Mais elle, elle répond :

— Oh ! pardon. Seulement, tu comprends, ça fait des années qu'on t'appelle comme ça. Pas facile de changer d'un seul coup.

— N'empêche, mon vrai nom, c'est LOUIsa. Il va falloir t'y faire.

— Bon, bon, d'accord. D'accord, Lllouisa.

Aujourd'hui était un grand jour ; les nouveaux voisins ont emménagé. La preuve : il y avait leur voiture dans l'allée.

J'ai demandé à Emma, au goûter :

— Tu les as vus, toi, les nouveaux voisins ?

— Et quand je les aurais vus, grosse maligne ? J'étais à l'école, moi aussi.

La maison d'à côté a été longtemps vide, mais voilà deux mois que l'écriteau « À vendre » a disparu. Depuis, j'ai passé des heures à imaginer les nouveaux voisins.

J'espérais qu'ils avaient des enfants, et en tout cas avec une fille d'à peu près mon âge. Ce serait l'idéal pour jouer. Peut-être même qu'elle ferait de la danse, et çà ce serait super. Comme amies qui font de la danse, j'ai déjà Marianne et Tricia, bien sûr. Elles viennent souvent à la maison. Mais, quand on est voisines, c'est encore bien mieux. On peut se voir tous les jours, et n'importe quand, et quand on veut, pas besoin de grands arrangements ou de permission à l'avance.

Et j'espérais qu'ils auraient un chat, en plus. Ou une chatte, ou même un chien gentil, pour que notre chat Mohair ait un ami, lui aussi.

Nous avons beaucoup discuté de tout ça,

Emma et moi, le plus souvent au lit, juste avant de dormir.

Avant-hier, Emma m'a dit :

— Peut-être que c'est un monsieur tout seul qui va venir habiter là ? Un monsieur beau et gentil, et comme ça Maman pourrait se marier avec lui.

— Mais ça serait un genre de papa, je lui ai fait remarquer. Et un papa, on en a déjà un, même si Maman et Papa sont divorcés. Pas besoin d'un autre !

— Oui, mais le nôtre habite loin, a dit Emma. Et, quelquefois, je crois que Maman se sent un peu seule.

— Elle ? Sûrement pas. Elle nous a, non ?

Je n'avais pas très envie de parler de Maman et de tout ça, alors j'ai reparlé de la maison d'à côté :

— Au fait, qu'est-ce qu'on doit faire, au juste, quand des nouveaux voisins viennent d'arriver ? On va frapper à leur porte pour leur dire bonjour et les inviter chez nous ?

— Quelque chose comme ça, a répondu Emma en bâillant.

— Moi, je veux pas y aller toute seule. Tu viendras avec moi, dis ?

— Moui.

— Promis ?

Emma a soupiré. Elle soupire beaucoup quand je lui parle.

— Oui. Promis. Bonne nuit, Ouisa.

— LOUIsa !

— Pardon : Lllouisa.

Ça, c'était avant-hier. Aujourd'hui, juste après le goûter, j'ai dit à Emma :

— Tu ne crois pas qu'on devrait aller chez eux pour leur dire bonjour ?

Maman était dans la cuisine, et c'est elle qui a répondu :

— Certainement pas ! C'est bien trop tôt. Ils doivent être très occupés à ouvrir leurs cartons et à tout mettre en place. Demain suffira largement, pour les visites.

— Oui, mais justement, s'ils ont plein d'enfants dans les jambes ? Ils seront peut-être contents, au contraire, de les voir venir ici un moment !

— Des enfants, a dit Maman, ils n'en ont qu'un, pour autant que je sache.

— Une fille ?

J'ai retenu mon souffle. Pourvu, pourvu...

— Désolée, non. Un garçon. Aux cheveux très foncés, si j'ai bien vu.

La couleur des cheveux n'y faisait rien. Un garçon, c'était un garçon.

— Jamais il voudra jouer avec moi...

— Et pourquoi donc? a dit Maman. Les garçons aussi aiment jouer.

— Oui, mais avec les autres garçons. En plus, je parie qu'il voudra grimper aux arbres, jouer au foot et tout ça.

— Et alors? a dit Emma. Tu n'aimes rien de tout ça, toi? C'est nouveau!

— Non, c'est pas nouveau. C'est depuis que je fais de la danse.

— On peut savoir quel est le rapport?

Ça, c'est Emma. Il faut tout lui dire!

— Le rapport, je te ferai savoir, c'est que, quand on fait de la danse, il faut veiller à ne pas se blesser. Jamais. Miss Matting l'a dit. Quand on est blessé, on ne peut pas danser. Et, quand on arrête de danser, on se rouille. Oh! et puis ça m'est bien égal. De toute façon, jouer, je n'ai pas tellement le temps. Avec mes exercices et tout.

Encore une chose que personne ne comprend. Personne, sauf les vrais danseurs. Les gens disent qu'ils comprennent, mais c'est faux. Quand on fait de la danse sérieusement, il faut s'exercer TOUS LES JOURS. Les cours de danse, en première année, c'est seulement une fois par semaine; et pas mal d'élèves ne font leurs exercices à la barre qu'en cours. Mais moi, je les fais tous les jours, quelquefois même deux fois par jour. Dans tous les livres que j'ai lus sur la danse, on dit que les vrais danseurs font leurs exercices tous les jours. Et moi, c'est ce que je veux être : une vraie danseuse. Même Marianne et Tricia, qui sont mes meilleures amies, font de la danse parce qu'elles aiment bien les petits chaussons et les tutus et les fous rires au vestiaire. Quand elles viennent à la maison, elles sont toujours prêtes à danser avec moi les danses que j'invente, mais je sais que le reste du temps, la danse, elles n'y pensent même pas. Plus tard, Tricia veut être vétérinaire et Marianne, chirurgienne. Il n'y a que moi qui veux être danseuse étoile.

— Oh, regarde ! a dit Emma soudain. Regarde, Ouisa : il est dans son jardin ! Le nouveau voisin. Viens voir !

J'étais tellement saisie que j'ai oublié de lui rappeler : « LOUIsa ! » Je me suis plantée à côté d'elle pour regarder par la fenêtre.

Le nouveau voisin était petit (pas plus grand que moi, en tout cas), plutôt menu, et il avait bien, comme disait Maman, des cheveux très foncés, presque noirs.

— Allez, mon vieux, retourne-toi ! lui soufflait Emma à mi-voix. Qu'on voie un peu à quoi tu ressembles !

Alors j'ai dit :

— Moi, je vais dans le jardin, lui parler. Tu viens ?

— Hmm, non, vas-y plutôt toute seule. Ça pourrait l'intimider de nous voir toutes les deux à la fois.

— Mais pourquoi ? Y a pas de raison !

— Il n'y a peut-être pas de raison, mais ça pourrait arriver quand même. Vas-y, fonce. Tâche au moins d'apprendre comment il s'appelle.

Le garçon, pour ce que j'en voyais, n'avait pas l'air du genre à s'effaroucher d'un rien, alors j'ai foncé. La haie entre nos jardins est assez basse, pas besoin de me mettre sur la pointe des pieds pour regarder par-dessus.

J'ai lancé à voix haute :

— Bonjour ! Je m'appelle Louisa Blair. Et toi ?

Je faisais très attention à ne pas avoir mon air grincheux. Emma dit que j'ai souvent l'air grincheux, même quand je suis de bonne humeur. Là, j'essayais de sourire de toutes mes forces.

Le garçon s'est retourné. Il avait un visage pas trop laid, pour un garçon, avec des yeux très bleus et des pommettes toutes roses.

Castor Poche

Des livres pour toutes les envies de lire,
envie de rire, de frissonner,
envie de partir loin
ou de se pelotonner dans un coin.

Des livres pour ceux qui dévorent.
Des livres pour ceux qui grignotent.
Des livres pour ceux qui croient ne pas aimer lire.
Des livres pour ouvrir l'appétit de lire et de grandir.

Castor Poche rassemble des textes du monde entier ; des récits qui parlent de vous mais aussi d'ailleurs, de pays lointains ou plus proches, de cultures différentes ; des romans, des récits, des témoignages, des documents écrits avec passion par des auteurs qui aiment la vie, qui défendent et respectent les différences. Des livres qui abordent les questions que vous vous posez.

Les auteurs, les illustrateurs, les traducteurs vous invitent à communiquer, à correspondre avec eux.

Castor Poche
Atelier du Père Castor
4, rue Casimir-Delavigne
75006 PARIS

Cet
ouvrage,
le huit cent
septième
de la collection
CASTOR POCHE,
a été achevé d'imprimer
sur les presses de l'imprimerie
Maury Eurolivres
Manchecourt - France
en mai 2002

Dépôt légal : avril 2001.
N° d'édition : 4808. Imprimé en France.
ISBN : 2-08-16-4808-3
ISSN : 0763-4544
Loi n° 49-956 du 16 juillet 1949
sur les publications destinées à la jeunesse